CHAPITRE 395 : LE LIVRE DE TARTAROS – PARTIE 5 : L'ULTIME DOULEUR

KEITH
S'EST FAIT
AVOIR
?!

ELLE A ÉTÉ
CONTAMINÉE
QUAND ELLE EST
ENTRÉE DANS
LE CORPS DE
KEITH.

LES
SPORES
DÉMO-
NIAQUES...

JUBIA
!

BLOUP

ET POUR ÇA, ON VA TE BATTRE !

ON VA RAMENER Mlle MINERVA À LA GUILDE !

VOUS N'ÊTES PAS DES CHASSEURS DE DRAGONS POUR RIEN.

JE COMPRENDS QUE VOTRE CŒUR S'EMBALLE...

C'EST LA PREMIÈRE FOIS QUE DES HUMAINS TIENNENT SI LONGTEMPS FACE À MOI !

...

BIEN... BIEN SÛR ! ARF ARF ARF...

C'EST VRAIMENT LA BONNE DIRECTION ?

GNN

OUI...

SI ON N'ARRÊTE PAS LES FACE À TRAVERS TOUT LE PAYS...

POUR L'INS-TANT, NOUS DEVONS Y CROIRE...

TAP

TAP

J'ESPÈRE QUE STING ET ROG VONT BIEN...

OUAIS !

IL S'EST PASSÉ PAS MAL DE CHOSES DURANT LE TOURNOI, MAIS ELLE A PEUT-ÊTRE UN BON FOND...

JE SUIS D'ACCORD !

MLLE MINERVA S'INQUIÈTE POUR STING ET ROG, C'EST INCROYABLE !

...

ELLE CUISINE LE POISSON ?! ELLE SAIT FAIRE LE MAQUEREAU GRILLÉ AU SEL ?

QUOI ?!

EN FAIT, ELLE EST TRÈS DOUÉE POUR LA CUISINE...

TOI, T'ES À CÔTÉ DE LA PLAQUE...

ELLE DEVRAIT FAIRE UNE BONNE ÉPOUSE...

HA HA HA ! VOUS ALLEZ VOUS RÉGALER !

J'EN AI MARRE...

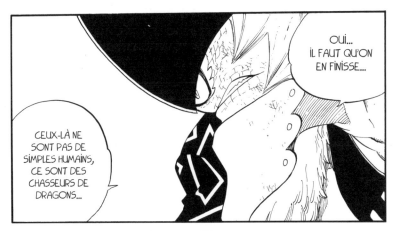

OUI...
IL FAUT QU'ON
EN FINISSE...

CEUX-LÀ NE
SONT PAS DE
SIMPLES HUMAINS,
CE SONT DES
CHASSEURS DE
DRAGONS...

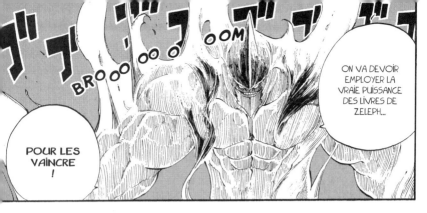

ON VA DEVOIR EMPLOYER LA VRAIE PUISSANCE DES LIVRES DE ZELEPH...

POUR LES VAINCRE !

ON VA Y ALLER...

À FOND !

ON VA Y ALLER À FOND !

ALORS, NOUS AUSSI...

J'AI UN MAUVAIS PRESSENTIMENT !

COMME ÇA, JE SUIS ENCORE PLUS FORT QUE TOI !

HÉ HÉ HÉ ! J'AI ABSORBÉ L'OMBRE DE ROG...

TU PEUX PARLER !

T'AS TROP UN LOOK DE MÉCHANT !

DEPUIS QUAND TU PEUX LE FAIRE ?

GAJIL ! C'EST QUOI, ÇA ?

PROUVE-LE-MOI ! ON VERRA BIEN QUI ÉLIMINERA SON ADVERSAIRE LE PREMIER !

C'EST MOI, LE PLUS FORT !

MAIS MOI, J'AI LA FOUDRE DE LUXUS !

DITES, VOUS DEUX...

LE PERDANT DEVRA ÉCRIRE UNE CHANSON À LA GLOIRE DE L'AUTRE, ÇA TE VA ?

TU L'AURAS CHERCHÉ, BOÎTE DE CONSERVE !

HURLEMENT DU DRAGON D'ACIER DE L'OMBRE

BRAOOOM

...

AAA...

AAH...

AA...

AAH...

AAA...

AA...

DES DÉ-MONS...

HEIIIIIIN
?!

POURQUOI
ILS ONT
FAIT ÇA
?

CHAPITRE 396 : AIR

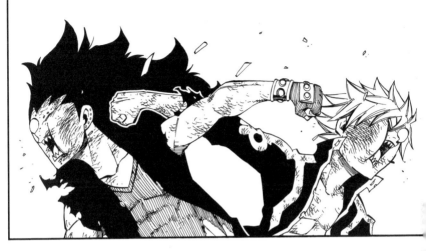

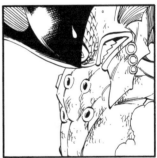

C'EST PAS LE MOMENT DE VOUS DISPUTER !

J'AI CRU QUE JE ME FAISAIS TAPER PAR UN GAMIN !

ÉVIDEMMENT ! J'AI MÊME PAS MAL !

J'AI MÊME PAS TAPÉ FORT !

QU'EST-CE QUE TU FOUS, ABRUTI ?!

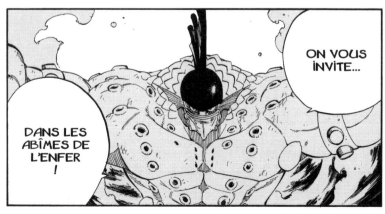

MONDE DE TÉNÈBRES !

FLOUUUUSH

FSHOUUUUU

FSHAAA

BLOUP

BWOOOOM

BLOUP

MES FLAMMES SORTENT PAS !

FSHOUUU

TIENS !

LA SALAMANDRE ! EMMÈNE LES FILLES ET CHERCHE UNE SORTIE !

L'AUTRE NE FAIT QUE REGARDER ?!

IL NOUS SOUS-ESTIME !

IL ARRIVE À ÊTRE AUSSI RAPIDE DANS L'EAU ?!

PLAF

PLAF

BLOUTCH

HÉ ! LA SALAMAN-DRE...

JUBIA ! LUCY !

ON DIRAIT BIEN QU'ILS ONT BU L'EAU NOIRE DES TÉNÈBRES !

CETTE EAU EST EMPOISON-NÉE, ELLE TUE EN CINQ MINUTES...

ET PUIS, LES HUMAINS NE PEUVENT PAS RETENIR LEUR SOUFFLE AUSSI LONGTEMPS DANS L'EAU...

CLONG CLONG CLONG

!

JE DOIS D'ABORD ME DÉBAR-RASSER DE CE TYPE...

VOUS NE SORTIREZ PAS D'ICI !

IL EST RAPIDE !

L'ÉTAGE EST ENTIÈREMENT INONDÉ !

!

FSHOUuuu

LE SEUL MOYEN D'ÊTRE PLUS RAPIDE QUE LUI DANS L'EAU...

TU VAS FINIR EN PLANCTON DE L'OCÉAN DES TÉNÈBRES !

FSHOUUUU

C'EST L'OMBRE !

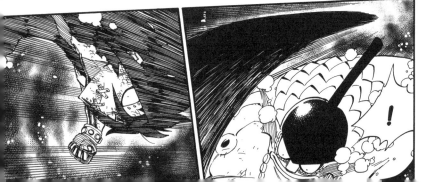

!

PLAAAAM

37

MERDE...
JE NE VOIS
PLUS RIEN...

SI
J'AVAIS
UN PEU
D'AIR...

JE ME LE
FERAIS...

JE NE
PEUX
PLUS...

BOUGER...

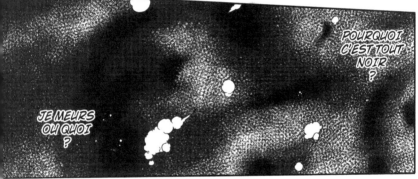

POURQUOI
C'EST TOUT
NOIR
?

JE MEURS
OU QUOI
?

JE PERDS...

CONNAISSANCE...

ÇA SERT
À RIEN !
DE L'AIR...

IL ME
FAUT DE
L'AIR
!

DE LA
LUMIÈRE
?

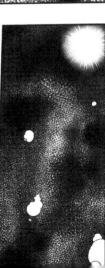

CHAPITRE 397 : ACIER

REBY
!

FOUTCH
FOUTCH
FOUTCH
FOUTCH
FOUTCH

RÉVEILLE-
TOI
!

REBY
!

C'EST BIEN TOI QUI M'AS DONNÉ DE L'AIR ?!

RECOM-MENCE !

!

EUH... NON... J'AI JUSTE PARTAGÉ L'AIR QUE J'AVAIS EN RÉSERVE...

QUE JE RE-COMMENCE ? COMMENT ÇA ?

JE NE PEUX PAS ! JE N'AI PLUS D'AIR...

ET PUIS... JE L'AI FAIT AVEC TOI PARCE QUE T'ÉTAIS À CÔTÉ DE MOI !

GROUILLE-TOI ! OCCUPE-TOI DE LA SALAMANDRE ET DES AUTRES !

45

JE TE PARLE
PAS DE ÇA !
CRÉE DE L'AIR
AVEC TA
MAGIE
!

MAIS OUI !
J'AURAIS DÛ
LA   LE FAIRE DÈS
HONTE   LE DÉBUT
!   !

**SOLID
SCRIPT !
AIR
!**

FSHAAAAM

TIENS !

PLAAAAM

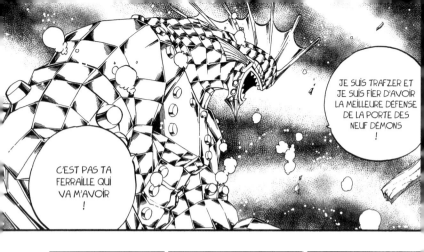

JE SUIS TRAFZER ET JE SUIS FIER D'AVOIR LA MEILLEURE DÉFENSE DE LA PORTE DES NEUF DÉMONS !

C'EST PAS TA FERRAILLE QUI VA M'AVOIR !

LE FER QUI RECOUVRE TON CORPS A RALENTI L'ABSORPTION DU POISON...

BLOUP

BLOUP

BLOUP

!

MA MAIN...

TSAP

MAIS ON DIRAIT BIEN QU'IL A QUAND MÊME FINI PAR S'INTRODUIRE EN TOI !

ARGH...

LE POISON DES TÉNÈBRES A ENVAHI...

C'EST L'HEURE !

AAH !

CRRR

CRRR

CRRR

JE PEUX FAIRE QUELQUE CHOSE POUR L'AIR, MAIS S'ILS RESTENT DANS CETTE EAU CHARGÉE EN GAZ CARBONIQUE...

ILS VONT TOUS CREVER !

TOUS CEUX QUI ÉTAIENT DANS L'EAU.

CRRR

CRRR

CRRR

CRRR

TU NE PEUX...

RIEN FAIRE DE PLUS !

RAA-AAH !

LA VACHE ! SI SEULEMENT ON ÉTAIT ARRIVÉS UN PEU PLUS TÔT !

IL N'Y A AUCUNE TRACE DE COMBATS...

ON EST ARRIVÉS TROP TARD.

JE PENSE QUE C'EST UN ASSAS-SINAT !

GAJIL...

J'AI JAMAIS VRAIMENT EU L'OCCASION DE DISCUTER AVEC TOI, LA VIEILLE...

POURTANT TU VEILLAIS SUR MOI DEPUIS QUE J'ÉTAIS TOUT PETIT...

DONNER UN SENS À MA VIE...

J'AI JAMAIS PU TE REMER-CIER !

JE VAIS SUIVRE TES CONSEILS...

JE VAIS TE VENGER ! NON...

TU RES-SEMBLES À MON DÉFUNT FILS...

UN JOUR, TU M'AS DIT...

C'EST LA MEILLEURE CHOSE QUE JE PUISSE FAIRE, MAINTENANT...

ÇA PORTE
LA POISSE
DE DIRE ÇA
!

FSAP

JE NE SUIS
PLUS UN SIMPLE
DÉCHET DE
MÉTAL
!

REGARDE-
MOI DEPUIS
LÀ-HAUT,
LA VIEILLE
!

GLING

GLING

GLING

GLING

GLING

GLING

NON...
JE LES
PROTÈGE
!

MAIS JE
VEUX PRO-
TÉGER CEUX
QUI SONT
AVEC MOI
!

JE SAIS PAS CE
QUE T'ENTENDAIS
PAR "DONNER UN
SENS À MA VIE"...

BLONG

C'EST ÇA, LE SENS QUE JE DONNE À MA VIE !

PLAAAAM

C'EST PAS DE LA FER-RAILLE !

DE LA SIMPLE FERRAILLE ATTAQUE MES DÉFEN-SES ?!

C'EST PAS POSSI-BLE !

RAA...

AA...

AA...

IL S'EST TRANSFORMÉ EN ACIER RENFORCÉ ?

DU FER ET DU GAZ CARBONIQUE, ÇA DONNE...

DE L'ACIER RENFORCÉ !

J'AI ABSORBÉ LE GAZ CARBO-NIQUE PRÉSENT DANS LE MONDE DE TÉNÈBRES...

CHAPITRE 398 : LE DERNIER DUEL

MERDE...

IL EN RESTE UN...

AH !

PLAM

!

TSAP

WOOOOOM

!

NON...

GREY !

TAAAAP

ENFIN, C'EST LUI DONT LE CORPS RENFERME LES SPORES MALÉFIQUES, POUR ÊTRE PRÉCIS...

JE CROIS BIEN QUE C'EST LUI QUI A EU LUXUS !

HEIN ?

EXPLOSE-LE AVANT DE ME DEMANDER ÇA !

ON POURRA FAIRE UN ANTIDOTE AVEC SON SANG...

RAMÈNES-EN À POLYUSSICA !

...

COMMENT T'AS FAIT ÇA ?

CLING

CLING

JE VAIS DÉTRUIRE TARTAROS !

C'EST LA SALLE DE COMMANDE ?

OUI...

BIP

BIP

POUIC

C'EST L'ANCIEN PRÉSIDENT DU CONSEIL !

!

ERZA ! REGARDE !

!

C'EST PAS LA NÉCROMANCIE DE KEITH...

ÇA VEUT DIRE QUE...

ARRÊTEZ FACE TOUT DE SUITE !

TAP

ARGH !

PLAF

MONSIEUR LE PRÉSIDENT !

NE M'OBÉIT PLUS...

GNN GNN

HEIN ? QU'EST-CE QUE... ?

MON CORPS...

TSAC

QU'EST-CE QUI NOUS ARRIVE ?

QU'EST-CE QUI SE PASSE ?

GNN GNN GNN

AAAH...

ÇA... ÇA FAIT MAL...

GNNN

C'EST UN SORTILÈGE ENNEMI !

NON !

!

NE LES TUE PAS ENCORE...

ELLE EST À MOI !

C'EST MON SORTILÈGE DE MACRO...

ALORS... LE CORPS DE L'ANCIEN PRÉSIDENT DU CONSEIL AUSSI...

SEÏLA...

KYÔKA...

ARGH...

T'ES ENCORE EN VIE, MINERVA ? TU FAIS PITIÉ !

HIN HIN

VOTRE HISTOIRE S'ARRÊTE ICI...

ERZA... QU'EST-CE QUE CELA TE FAIT DE NE PLUS POUVOIR BOUGER ?

CELA TE RAPPELLE LA SALLE DE TORTURE ?

ÇA FAIT MAL...

BOUGE...

JE VAIS ENCORE BIEN M'AMUSER...

...

TIENS BON, FROSH !

AAAH !

LE PRÉSIDENT A FAIT CE QU'IL AVAIT À FAIRE...

DANS UN INSTANT, LES 3 000 FACE VONT S'ACTIVER !

WOOOOOOO

ARF! ARF! ARF!

ON A RÉUSSI !

WOOOO

NON...

!

WO

DE RE-JOINDRE MAÎTRE ZELEPH SE RÉALISE...

FAITES QUE NOTRE VŒU...

VOUS ÊTES LA DERNIÈRE DE LA PORTE DES NEUF DÉMONS...

DAME KYÔKA...

ELLE ABSORBE LE POUVOIR DE DAME SEILA ! IL COÛTE COMBIEN ? HEIN ? COMBIEN ?

ET PUIS, C'EST MA TECHNIQUE, ÇA !

ET TON ÂME SERA AVEC MOI...

WUI!!! !!!!!!

OUI...

REMPORTEZ CETTE BATAILLE, DAME KYÔKA...

S'IL TE PLAÎT, ERZA...

EXPLOSE KYÔKA ! ELLE A QUASIMENT TOUTES LES INFOS !

ON DOIT L'ARRÊTER !

QU'EST-CE QU'ON VA FAIRE ?

FACE EST ACTIVÉE !

D'ACCORD !

CHAPITRE 399 :
LES AILES DU DÉSESPOIR

32 MINUTES AVANT LE DÉCLEN-CHEMENT DE TOUTES LES FACE !

JE LES ARRÊTERAI COÛTE QUE COÛTE !

C'EST DÉJÀ TROP TARD !

TAP

PAS ENCORE !

TSITIIING

ERZA...

CLIIIING

89

ELLE
!

TSAP

...

PLAAAM

POURSUIS
L'AUTRE,
MIRAJANE
!

LA

ON S'OCCUPE
DE CELLES-LÀ
!

C'EST...

EVI...

VOLEN AUSSI...

WENDY !

!

BABOM

BABOM

BABOM

PLAF

WOOOOO

!

C'EST QUOI, CE BRUIT ?

WENDY...

BABOM

BABOM

BABOM

WENDY ! TIENS BON ! QU'EST-CE QU'IL Y A ?

C'EST BIEN QUE PERSONNE N'AIT RIEN...

IL EST TOUT DE SUITE PARTI AILLEURS...

M. GREY EST ICI ?

QU'EST-CE QU'IL Y A, NATSU ?

ÇA POURRA GUÉRIR LUXUS, C'EST ÇA ?

D'AC-CORD !

APPORTE ÇA À POLYUSSICA, REBY !

BLOP

HEIN ?

GAJIL... T'ENTENDS RIEN ?

...

ÇA NE TE PLAÎT PAS QUE L'AUTRE GLAÇON SOIT DEVENU SUPER FORT D'UN SEUL COUP, C'EST ÇA ?

QU'EST-CE QUE C'EST ?

UNE VOIX ?

TIENS...

JE N'AVAIS PAS PRÉVU...

QU'IL VIENDRAIT...

CHAPITRE 400 :
LES AILES DE
L'ESPOIR

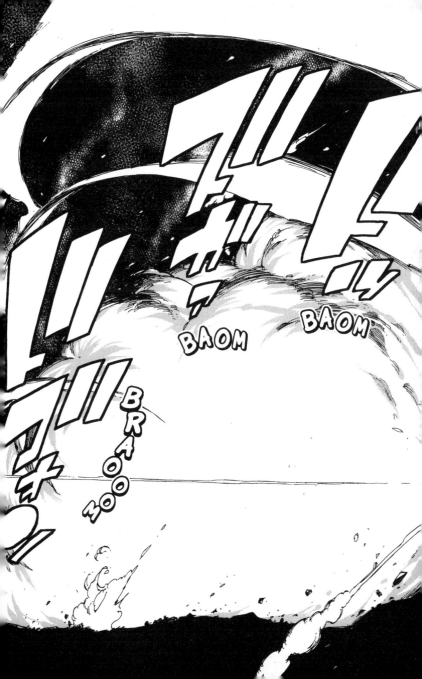

PREMIER MAÎTRE ! AU SECOURS !

C'EST LUI QUI A PULVÉRISÉ L'ÎLE DE TENRÔ !

ACNOLOGIA ? C'EST CE TRUC ? LE FAMEUX...

QUOI ?!

C'EST ACNOLOGIA !

WOOOOO

IL VIENT PAR ICI !

CETTE SOURCE DE DÉSESPOIR VA ENCORE...

QU'EST-CE QUE C'EST ?

ACNO-LOGIA...

108

WOOOOOООО

BABOM

BABOM

BABOM

BABOM

WENDY ! RELÈVE-TOI ! QU'EST-CE QU'ON DOIT FAIRE ?!

WENDY !

IL VIENT PAR ICI...

BAOOOOM

C'EST PAS VRAI...

110

TU AS PEUR DE LUI ?

JE VOIS... TU EN AS APRÈS E.N.D...

C'EST AMU-SANT !

FLAP

TU SERAIS VENU LE DÉTRUIRE AVANT SON RÉVEIL ?

BWAOOOOM

NATSU !

BABOM
BABOM
BABOM
BABOM
BABOM

L'HEURE EST VENUE !

!

IGNIR
?

HEIN
?

IGNIR
!

POUR-
QUOI JE
L'ENTENDS
?

JE TE CROIS
CAPABLE DE
DÉTRUIRE
E.N.D...

!

WIIII

WIIII

JE VAIS
M'OCCUPER
D'ACNOLOGIA
!

AAAA...

AAAA...

AAAA...

AAH!

AAA...

ET LUI A ENSEIGNÉ LES MOTS...

IL PARAÎT QUE CE DRAGON L'A RECUEILLI DANS LA FORÊT QUAND IL ÉTAIT PETIT...

"E"!

LA CIVILI- SATION...

AAA...

AAAH!

AINSI QUE LA MAGIE...

118

PAPA...

SNIF

SNIF

CHAPITRE 401 : IGNIR VS ACNOLOGIA

GAJIL, ÇA VEUT DIRE QU'À L'INTÉRIEUR DE TOI...

IL A DIT QU'IL ÉTAIT EN NATSU...

QU'EST-CE QUE ÇA VEUT DIRE ?

NON...

WENDY... TU N'AS RIEN ?

CARLA... QU'EST-CE QUE... ?

ÇA VA, ROG ?

OUAIS... MAIS OÙ EST PASSÉ LE TYPE AVEC SON BOUQUIN ?

LES PAL- PITATIONS SE SONT ARRÊTÉES...

HAN

HAN

CE SERAIT UN ALLIÉ ?

QU'EST-CE QUI SE PASSE ?!

REGARDEZ ! L'AUTRE ATTAQUE ACNOLOGÍA !

DES DRAGONS !

IL Y EN A UN DEUXIÈME !

UN DRAGON DE FEU...

CE SERAIT...

SEIGNEUR MALD GHEEL...

BON SANG...

MAIS, QUE SE PASSE-T-IL, AU JUSTE ?

BRAOOOM

BAAM

BOOOM

ACNO-LOGIA AUX AILES DE TÉNÈBRES...

ET IGNIR, LE ROI DES DRAGONS DE FEU !

JE NE PEUX PAS VOUS LAISSER PERTURBER MES PLANS !

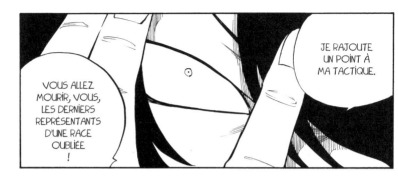

JE RAJOUTE UN POINT À MA TACTIQUE.

VOUS ALLEZ MOURIR, VOUS, LES DERNIERS REPRÉSENTANTS D'UNE RACE OUBLIÉE !

HÉ ! LA SALAMANDRE ! C'EST IGNIR, ÇA ?!

IL A DIT QU'IL ÉTAIT EN TOI ? ÇA VEUT DIRE QUOI ?!

QU'EST-CE QUI SE PASSE ?!

ÇA VA, GAJIL ?

J'EN SAIS RIEN...

JE L'AI CHERCHÉ TOUT CE TEMPS...

WOUSH

NATSU !

BWOOOOOM

ÇA SE PASSERA PAS COMME ÇA !

IGNIR
!

BROOOOOM

TSAP

FAIS-LE
MAINTENANT
!

JE T'AI
DIT QUE
JE T'EXPLI-
QUERAI
PLUS TARD
!

CRÉTIN
!

OÙ SONT
LES DRAGONS
DE GAJIL ET
DE WENDY
?

QU'EST-CE
QU'IL S'EST PASSÉ
LE 7 JUILLET 777
?

AH
!

POURQUOI
T'AS DISPARU
D'UN SEUL
COUP
?

POUR-
QUOI T'ÉTAIS
EN MOI
?!

LÀ, JE M'EN-FLAMME !

JE T'AI DIT QUE JE T'EXPLIQUERAI PLUS TARD !

COMMENT ÇA ?! ÇA FAIT UN BAIL QU'ON S'EST PAS VUS, TU PEUX PAS DIRE ÇA !

NATSU, TU ME GÊNES.

REGARDE !

TSAP

?!

T'ES DANS UNE GUILDE, NON ? JE T'EMBAUCHE !

MON BOULOT ?

TOI, FAIS TON BOULOT !

LE BOUQUIN QUE TIENT CE TYPE...

C'EST LE "LIVRE DE E.N.D.".

?!

POURQUOI JE FERAIS ÇA ?

E.N.D. ?

PARCE QUE TU ES LE SEUL À POUVOIR LE FAIRE !

VA LE LUI PRENDRE !

CHAPITRE 402 :
LE POING D'ACIER DU DRAGON DE FEU

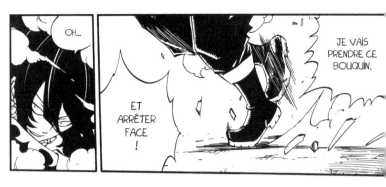

OH...

ET ARRÊTER FACE !

JE VAIS PRENDRE CE BOUQUIN.

ET POUR ÇA, JE VAIS TE BATTRE !

FOUTCH
FOUTCH FOUTCH

TSAP

POING
D'ACIER...

KYÔKA...

TU
M'ENTENDS
?

SEIGNEUR
MALD
GHEEL
?

!

CES DRAGONS SONT UN PROBLÈME...

ACCÉLÈRE LE DÉCLENCHE-MENT DE FACE !

KEITH ET SEILA SONT MORTS, PLUS PERSONNE NE PEUT CONTRÔLER L'ANCIEN PRÉSIDENT...

OUI...

MAIS...

TU ES DANS LA SALLE DES COMMANDES, NON ?

NE T'INQUIÈTE PAS, COMME LE PROCESSUS EST ENCLENCHÉ...

MÊME TOI, TU POURRAS L'ACCÉLÉRER !

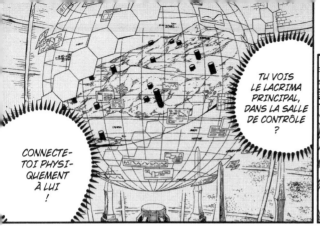

TU VOIS LE LACRIMA PRINCIPAL, DANS LA SALLE DE CONTRÔLE ?

CONNECTE-TOI PHYSI-QUEMENT À LUI !

EN DEVENANT LA CLÉ DE DÉ-CLENCHEMENT DE FACE...

TU POURRAS ACCÉLÉRER LE PROCESSUS !

ME CONNECTER PHYSIQUE-MENT ?

ET JE PRÉ-VOIS QUE LES DRAGONS SERONT PRIVÉS DE LEUR FORCE VITALE !

UNE FOIS FACE DÉCLEN-CHÉE...

LES MAGICIENS PERDRONT LEUR MAGIE...

PUIS,
MAÎTRE E.N.D.
REVIENDRA
À LA VIE...

ET NOUS
VAINCRONS
!

ALLEZ...

VAS-Y
!

JE VAIS
MOURIR...

SEIGNEUR
MALD GHEEL...
SI JE CONNECTE
MES SORTILÈGES
À UNE TELLE PUIS-
SANCE MAGIQUE...

CHAPITRE 403 : ERZA VS KYÔKA

ELLE A DÉTRUIT
SON ARMURE EN
UN SEUL COUP, ET
À MAINS NUES
!

ERZA
!

OOOO
HOOO
H !

YAAA
...

AAH !

GROUILLE-TOI, ERZA !

ELLE ACCÉLÈRE LE TEMPS PAR SA SEULE VOLONTÉ ?

OH NON...

LE COMPTE À REBOURS S'EMBALLE !

32:41

BIP BIP BIP BIP BIP BIP BIP BIP

FSHAAAA

JE SAIS !

AH !

TU NE PEUX PAS ME VAINCRE !

BAOOOOM

ÇA FAIT MAL, N'EST-CE PAS ?

MON... MON CORPS...

OURGH...

TSAC TSAC TSAC TSAC TSAC TSAC TSAC TSAC

AAA-AAH !

RIEN QUE LE SOUFFLE DE L'AIR TE FAIT SOUFFRIR...

J'AI PLEINE-MENT ÉVEILLÉ TA DOULEUR...

PFOU

TSAC TSAC AAAAAH ! AAAAAH !

TSAC

JE ME SUIS UN PEU LÂCHÉE, ET TES AMIS ONT AUSSI SUBI MON SORT...

AH...

AAAAAAAAA...

TSAC TSAC TSAC
SAC TSAC
TSAC TSAC
TSAC
TSAC
TSAC AAAAH!
TSAC
TSAC

JE PEUX PLUS
ME LEVER...
J'AI MAL PAR-
TOUT...

TSAC
TSAC

AÏE ! AÏE !
AÏE ! AÏE
!

TSAC

AH...

AAA-
ARGH...

ERZA...

TSAC
TSAC

MOI AUSSI...
MAIS CE DOIT
ÊTRE ENCORE
PIRE POUR
ERZA...

TSAC TSAC
TSAC
TSAC

ÇA FAIT MAL,
LECTER...

TSAC

PLAAAM

AH
AH
AH

DE LA SALLE DE TORTURE SOUTERRAINE ?

TU TE SOUVIENS, ERZA...

CLING
CLING

CETTE ARMURE NE TE VA PAS DU TOUT...

BIP

18:43

TU AS UNE SI BELLE PEAU...

CRITCH

MA VICTOIRE EST TOTALE ! MÊME EN Y METTANT TOUTE LEUR ÂME, LES HUMAINS N'ONT AUCUN AVENIR !

HA HA HA HA HA HA HA !

IL S'AMU-SERA À TE DÉPECER CHAQUE JOUR, PETIT À PETIT !

JE VAIS FAIRE DE TOI UNE MARION-NETTE POUR LE ROI DES ENFERS !

ELLE... S'EST RELEVÉE...

ALORS QU'ELLE N'A PLUS AUCUN DE SES CINQ SENS...

C'EST... IMPOSSIBLE !

TSAC

TSAC

TSAC

TAAAM

ELLE ÉCLAIRE LE CHEMIN QUE JE SUIS AVEC MES AMIS...

ELLE ÉCLAIRE MES LENDEMAINS !

CETTE LUMIÈRE EST EN MOI...

MÊME SI JE NE VOIS RIEN... MÊME SI JE N'ENTENDS RIEN...

TSAC

TSAC

TSAC

TSAC

ÇA, ÇA N'A RIEN À VOIR AVEC LA VRAIE DOULEUR !

POSTFACE

En fait, ça fait longtemps que j'ai eu l'idée de la discussion entre Gajil et maître Belno. À l'origine, elle devait être celle qui convainc Gajil de rejoindre Fairy Tail. Mais, finalement, la discussion a eu lieu avec Makarof, et l'épisode avec Belno est passé à la trappe.

Dans la partie où tous les anciens conseillers se font tuer, je me suis dit que je pourrais peut-être utiliser des épisodes laissés en réserve, mais j'ai préféré rester prudent, au cas où je ne pourrais pas les inclure, et j'ai simplifié l'épisode où Gajil va chez Belno. J'aurais quand même dû donner plus d'indices...

J'adore mettre des indices dans mes histoires mais là, il y a beaucoup de personnages et, récemment, j'ai commencé une série dans un mensuel, donc c'est un peu embrouillé dans ma tête (rires). On me demande, en plus, de dessiner une histoire courte pour un magazine ! Ce n'est plus possible !

Du coup, il y a plusieurs pistes que je ne peux pas (ou que je n'ai pas l'intention de) suivre au final, mais je compte bien continuer à en semer à l'avenir (fausses pistes comprises).

Je pense que de nombreux mystères vont être résolus dans les épisodes à venir !

À bientôt !

Lucy : Il y a plein de thèses sur le sujet... Il y aurait seize Lamy ou bien elle n'utiliserait que 1/16ᵉ de son pouvoir...

Mirajane : La vérité est tellement stupide qu'on ne peut pas l'écrire ici...

Lucy : Oui, mais on ne peut pas non plus ignorer la question...

Mirajane : C'est bon ! Ça risque d'être long mais voilà, Lamy est inspirée d'une des assistantes de M. Mashima !

 : Ah...

Mirajane : Un jour, en plein travail, elle a fait une révélation totalement inintéressante !

Lucy : Ah...

 "J'ai 1/16ᵉ de sang russe ! (sérieuse)"

Lucy : Alors... 1/2, c'est métisse, 1/4, c'est quarteron... pour 1/16ᵉ, on dit quoi ? Elle est quasiment Japonaise !

Mirajane : Normalement, tout le monde réagit par des "ah" et des "sans rire ?", et c'est fini ! Mais là, elle l'a dit si soudainement et avec un air **si sérieux** que personne n'a réagi, ça a complètement glissé sur l'assemblée...

 : C'est aussi de là que vient le maléfice de glissade de Lamy ?

 : Oui, ça vient de cette assistante...

Lucy : Le fait qu'elle aime les beaux garçons aussi ?

Mirajane : Bien sûr !

Lucy : Et sa manie de faire "la la la" tout le temps ?

Mirajane : Ça vient de l'assistante...

Lucy : Dit comme ça, ce doit être un sacré personnage !

Mirajane : Donc si Lamy a ce "1/16", c'est à cause de ce "j'ai 1/16ᵉ de sang russe !".

 : J'aurais pas dû poser la question...

Mirajane : Kain Hikaru ou Kinana, entre autres, sont aussi inspirés d'assistants, mais le plus incroyable, c'est Gemini !

Lucy : Heiiin ?!

Mirajane : Sa manie de faire "oui ! oui !" vient de l'habitude qu'avait un assistant quand il était en primaire...

Lucy : J'aurais pas dû poser la question...

REQUÊTE SPÉCIALE

RÉVÉLEZ LES SECRETS DE "FAIRY TAIL" !

Dans un restaurant de râmen de Magnoria.

Lucy : Bonjour !

Mirajane : Cette fois encore, c'est parti pour les questions !

Pourquoi Mald Gheel a-t-il intégré Silver à la Porte des Neuf Démons ?

Lucy : C'est vrai qu'à l'origine, c'est un humain et que sa magie de chasseur de démons est une magie anti-démon...

Mirajane : C'est un peu expliqué dans l'histoire, mais je crois bien que c'est Keith qui a soutenu Silver.

Lucy : Il a dit qu'il savait qu'il les trahirait un jour...

Mirajane : Peut-être que Mald Gheel avait confiance en lui-même au point de ne pas craindre la magie de Silver...

Lucy : Il est possible qu'il l'ait vu comme un moyen de pression contre les autres membres de la Porte et les démons inférieurs...

Mirajane : Les membres de la guilde avaient sûrement peur d'avoir un type avec une telle magie...

Que signifie le "1/16" de Lamy ?

LA LA LA LA LA LA LA LA LA !

HOP

 : Et voilà, je l'attendais, celle-là...

 : Eh oui... Je pensais pourtant que personne ne s'en soucierait...

À suivre page de droite

J'AI COMPRIS QUE TU ÉTAIS MON ENNEMI !

LE COMBAT ENTRE DRAGONS DÉPASSE L'ENTENDEMENT ET FAIT TREMBLER LE CIEL !

JE VAIS TE DÉTRUIRE !

HÉRITIER DU POUVOIR DE SON PÈRE, GREY SE JOINT AU COMBAT ET UTILISE LA MAGIE DES CHASSEURS DE DÉMONS !

FSHHH

JE SUIS VENU TE VAINCRE !

FACE SERA-T-ELLE ENCLENCHÉE ? COMMENT TOURNERONT LES DIFFÉRENTS COMBATS ?

C'EST LA COLÈRE !

FAIRY TAIL 48

EN VENTE DÈS DÉCEMBRE 2015 !

Titre original :
FAIRY TAIL, vol. 47
© 2015 Hiro Mashima
All rights reserved.
First published in Japan in 2015
by Kodansha Ltd., Tokyo.
Publication rights for this French edition
arranged through Kodansha Ltd., Tokyo.

Traduction et adaptation : Vincent Zouzoulkovsky
Création d'illustrations : Claire Bréhinier

Édition française
2015 Pika Édition
ISBN : 978-2-8116-2166-7
ISSN : 2100-2932
Dépôt légal : novembre 2015
Achevé d'imprimer en France
par Jouve en octobre 2017

PAPIER À BASE DE
FIBRES CERTIFIÉES

Pika Édition s'engage pour l'environnement en
réduisant l'empreinte carbone de ses livres.
Rendez-vous sur www.pika-durable.fr

Pika
EDITION
www.pika.fr